Kindergarten-Arbeitsheft
(Ein farbiges Arbeitsbuch für Kinder von 4 bis 5 Jahren - Band 1)

---

30 farbige Arbeitsblätter. Der Preis dieses Buches beinhaltet die Erlaubnis, 20 weitere Bücher der Reihe kostenlos im PDF-Format herunterzuladen

---

PASSWORT FÜR BONUSBÜCHER FINDEN SIE AUF SEITE 12.

Die Webadresse für die herunterladbare Version dieses Buches finden Sie unter

BONUSBÜCHER - Details zum Herunterladen auf der Website

https://www.pdf-bucher.com/product/1/
https://www.pdf-bucher.com/product/2/
https://www.pdf-bucher.com/product/3/
https://www.pdf-bucher.com/product/4/
https://www.pdf-bucher.com/product/5/
https://www.pdf-bucher.com/product/6/
https://www.pdf-bucher.com/product/7/
https://www.pdf-bucher.com/product/8/
https://www.pdf-bucher.com/product/9/
https://www.pdf-bucher.com/product/10/
https://www.pdf-bucher.com/product/11/
https://www.pdf-bucher.com/product/12/
https://www.pdf-bucher.com/product/35/
https://www.pdf-bucher.com/product/36/
https://www.pdf-bucher.com/product/37/
https://www.pdf-bucher.com/product/38/
https://www.pdf-bucher.com/product/39/
https://www.pdf-bucher.com/product/40/
https://www.pdf-bucher.com/product/41/
https://www.pdf-bucher.com/product/42/
https://www.pdf-bucher.com/product/43/
https://www.pdf-bucher.com/product/46/

Platziere die fehlenden Felder an die richtigen Stellen

1   2   3   4   5

Schreibe hier deine Antworten auf

A   B   C   D   E

B=2, E=1, D=3, C=4, A=5

Welcher Hund ist der kleinste?

Passe die Bilder an

Name..

Platziere die fehlenden Felder an die richtigen Stellen

| 1 | 2 | 3 | 4 | 5 |

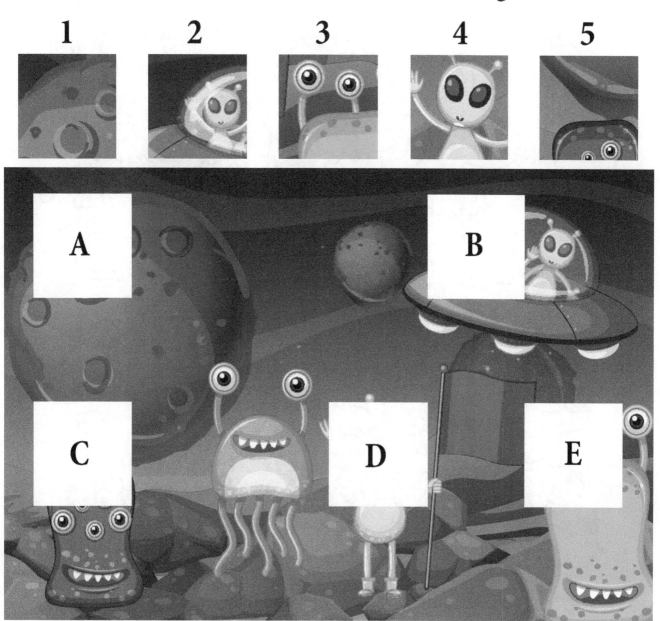

Schreibe hier deine Antworten auf

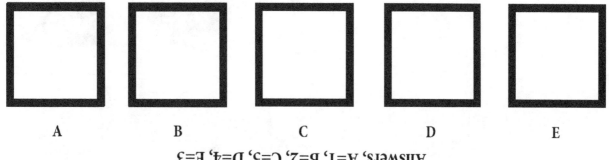

| A | B | C | D | E |

Wie viele?

Messe, wie groß diese Gegenstände sind.

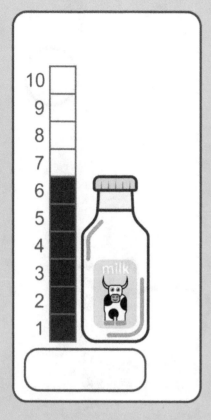

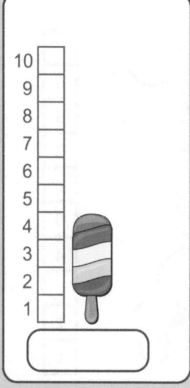

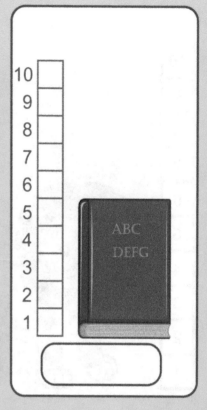

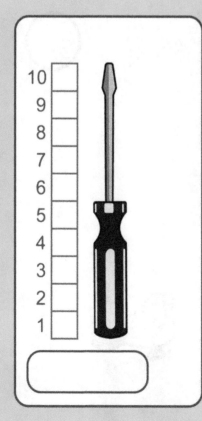

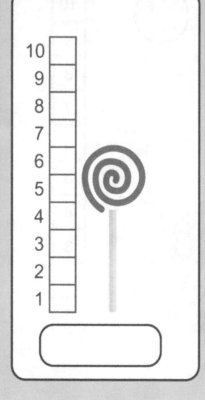

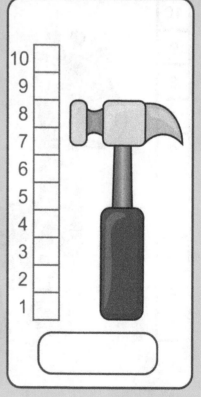

Messung. Wie groß. Male den Ziegelstein aus, um die Größe jedes Tieres zu messen. Schreibe deine Antwort in den Kreis.

Wie viele?

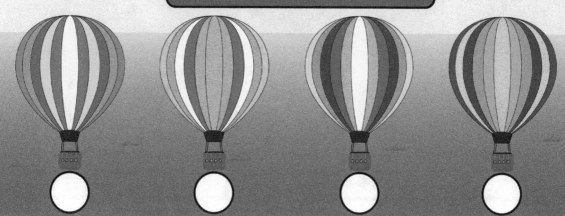

Messe die Objekte

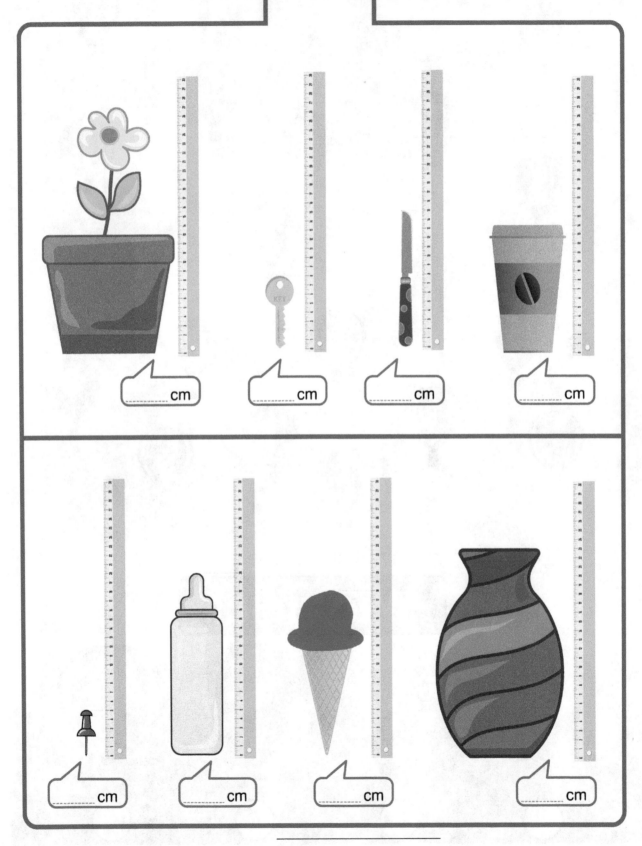

Welche Katzen sind gleich groß?

Groß und klein
Kreise die größten in jeder Gruppe ein.

Platziere die fehlenden Felder an die richtigen Stellen

1	2	3	4	5

Schreibe hier deine Antworten auf

A	B	C	D	E

E=4, B=3, A=2, C=1, D=5

Welcher Hund ist der kleinste?

10 9 8 7 6 5 4 3 2 1

10 9 8 7 6 5 4 3 2 1

10 9 8 7 6 5 4 3 2 1

10 9 8 7 6 5 4 3 2 1

10 9 8 7 6 5 4 3 2 1
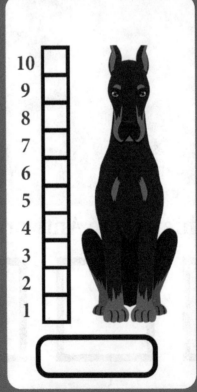

10 9 8 7 6 5 4 3 2 1

Platziere die fehlenden Felder an die richtigen Stellen

1   2   3   4   5

Schreibe hier deine Antworten auf

A   B   C   D   E

Welche Hunde sind gleich groß?

Welche ist das nächste?

Welche ist das am weitesten entfernt?

Welche ist das nächste?

Welche ist das am weitesten entfernt?

Welche Katze ist die kleinste?

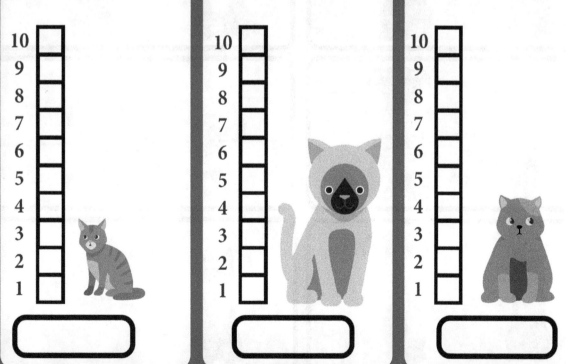

Groß und klein
Kreise die kleinsten in jeder Gruppe ein

Platziere die fehlenden Felder an die richtigen Stellen

1 **2** **3** **4** **5**

Schreibe hier deine Antworten auf

A	B	C	D	E

Platziere die fehlenden Felder an die richtigen Stellen

1

2

3

4

5

Schreibe hier deine Antworten auf

A	B	C	D	E

Platziere die fehlenden Felder an die richtigen Stellen

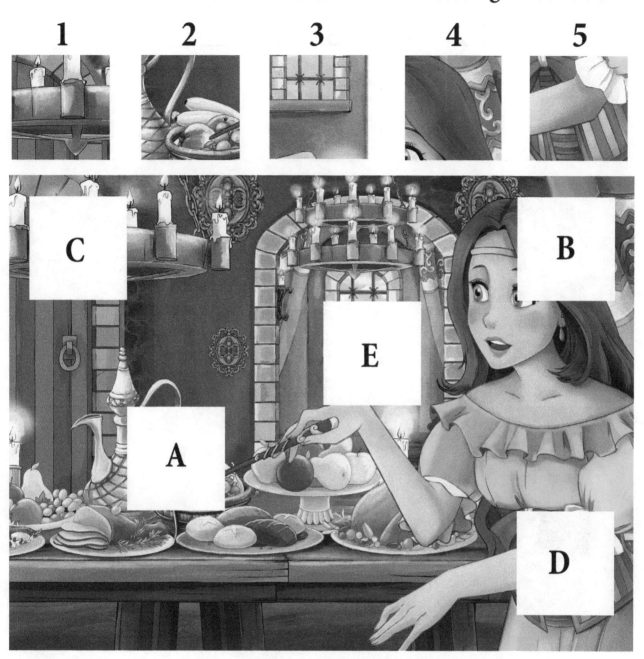

Schreibe hier deine Antworten auf

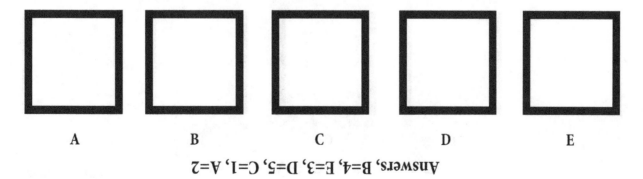

A   B   C   D   E

Platziere die fehlenden Felder an die richtigen Stellen

1 **2** **3** **4** **5**

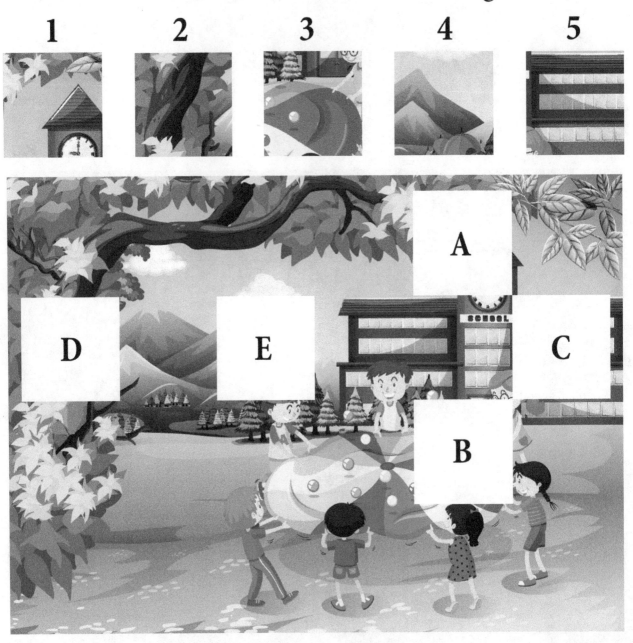

Schreibe hier deine Antworten auf

A B C D E

Welches Tier ist am weitesten links?

Welches Tier ist am weitesten rechts?

Kreise das Kind am weitesten rechtsein

Kreise den Hund ganz links ein

Kreise den Ballon am weitesten links ein

Platziere die fehlenden Felder an die richtigen Stellen

| 1 | 2 | 3 | 4 | 5 |

Schreibe hier deine Antworten auf

| A | B | C | D | E |

Welche Katze ist die kleinste?

WIE LANGE DAUERT DAS ?

FÜLLE DIE UHREN AUS UND BERECHNE, WIE LANGE ES GEDAUERT HAT.

 James brushed his teeth at 8.00

 Er ging um 9.00 Uhr ins Bett.

Wie viel Zeit war dazwischen?

EINE ZIFFERNZEILE FÜR DIE UHR

MORGEN   NACHMITTAG   ABEND

Platziere die fehlenden Felder an die richtigen Stellen

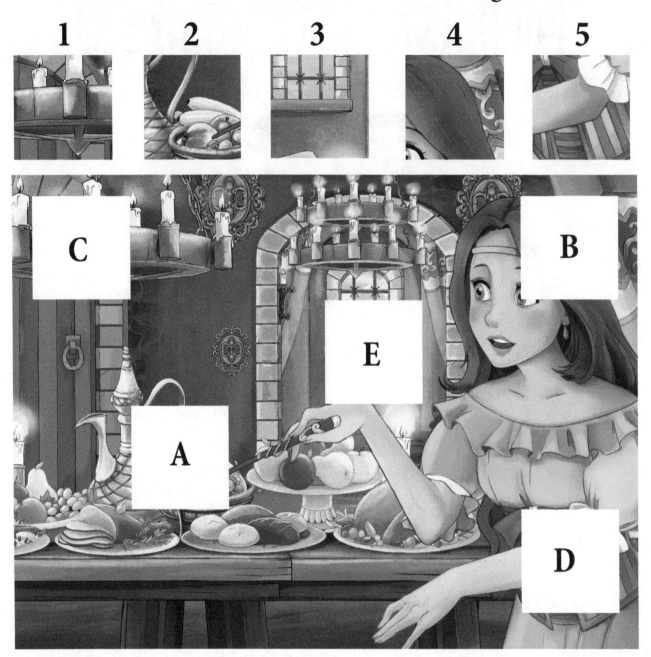

Schreibe hier deine Antworten auf

A B C D E

CPSIA information can be obtained
at www.ICGtesting.com
Printed in the USA
BVHW061008300819
557242BV00013B/894/P